Brujas

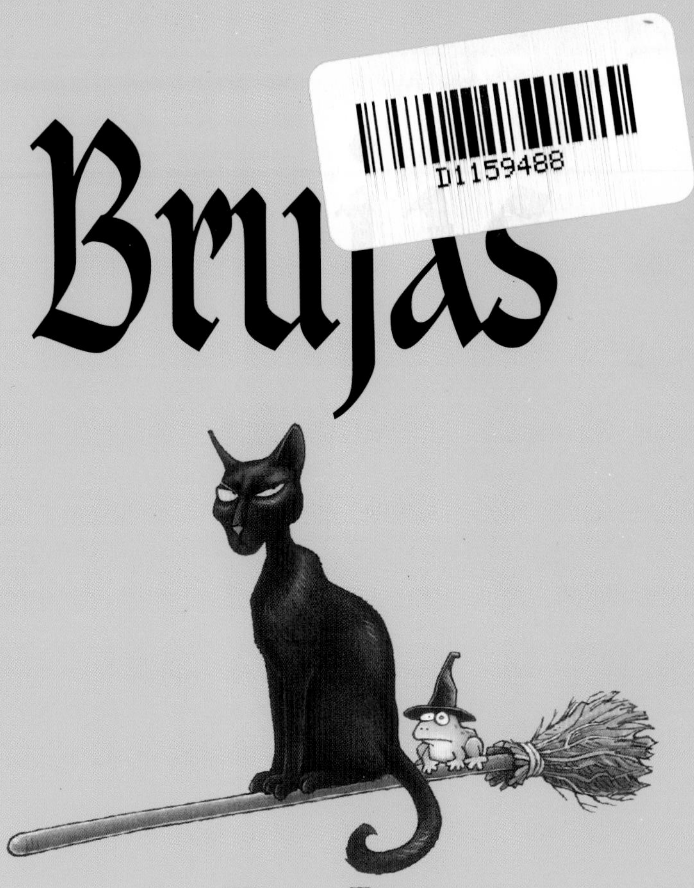

Por Terry Deary

Ilustrado por Mike Phillips

Para aquellos que perecieron; desnudos, afeitados, trasquilados.
Para aquellos que gritaron el nombre de Dios en vano y
sólo consiguieron que les arrancaran la lengua de raíz.
Para aquellos empalados, que sufrieron dolores atroces
en la estaca, por las atrocidades de los cazadores de brujas.
Para todas aquellas mujeres brujas, a quienes considero
mis hermanas, que respiraron libres cuando las llamas las
alcanzaron.

Anónimo. TD.

Título original: *Witches*
Publicado por acuerdo con Scholastic Children's Books.

Santa Perpètua, 12-14. 08012 Barcelona
Teléfono: 93 217 00 88
www.rbalibros.com / rba-libros@rba.es

Primera edición: septiembre 2007

Realización editorial: Bonalletra Alcompas, S.L.
Diagramación: Editor Service, S.L.

Referencia: MOJD067
ISBN: 978-84-7901-131-4

Índice

Introducción

Puede que pienses que las brujas son simples viejitas un poco estrafalarias con sombreros de pico y escobas.

Pero, hoy en día, nadie con dos dedos de frente cree en las brujas.

Los cuentos de brujas son geniales, pero hay que ser idiota para creer que una persona de verdad puede volar sobre una escoba…

Y sólo un tonto puede pensar que una bruja puede hechizarte.

¿Cómo puede haber entonces un libro de historia sobre alguien que ni siquiera existe? Muy sencillo. ANTES, todo el mundo creía en las brujas.

Las personas siempre hemos creído en la «magia» –fuerzas invisibles que pueden ser de mucha utilidad si sabes controlarlas–. A las personas que creían que podían controlar esa magia se las comenzó a denominar «brujas». Incluso cuando utilizaban la «magia» para curarte un grano en la nariz a base de hierbas.

La Biblia dice…

No debes permitir que una bruja viva.

Son palabras que produjeron mucha crueldad, estupidez y horror.

Si existiera un manual sobre el tema, sería el libro de una historia horrible, ¿no crees?

¿Y sabes qué? Tal libro lo tienes entre tus manos.

Está repleto de historias tristes y salvajes, y de hechizos asquerosos. ¡NO los pongas en práctica en casa! No funcionarán. Sólo te los contamos para que veas lo extraños que podemos llegar a ser los seres humanos a veces.

Recuerda: nadie con dos dedos de frente cree ya en las brujas…

La retorcida cronología de las brujas

La palabra anglosajona *witch* (brujo/a) tiene su origen en el término del inglés antiguo *wicce*, que significa «persona sabia».

PERDONE, PROFESOR. CREO QUE USTED ES UNA «PERSONA SABIA»
GRACIAS, GUILLE
¡JA, JA!

Otros afirman que la palabra viene también del inglés antiguo *wikke*, que significa «malvado, maligno». Pero lo que debemos saber es que ahora simplemente denomina a una persona que se relaciona con la magia y que las brujas han existido desde tiempos inmemoriales.

100 d. C. Un escritor romano llamado Octavio escribe acerca de unas brujas de las que ha oído hablar y dice…

Me han contado que veneran las cabezas de los asnos. Practican sacrificios en los que los sacerdotes apuñalan a niños pequeños hasta matarlos. Luego -¡espeluznante!- se beben ávidamente la sangre de los niños y luchan unos contra otros para repartirse los brazos y las piernas.
¡PUAJ!

415 d. C. En Alejandría (Egipto), los cristianos asesinan a la mujer griega Hipatia. La llevan a su iglesia, la desnudan y la matan utilizando ladrillos rotos. Dicen que es una bruja… ¡porque le interesan las matemáticas! Finalmente, queman su cuerpo.

¿GUILLE, DIME QUÉ OBTIENES SI SUMAS DOS Y TRES?
¡UNA GRAN HOGUERA!

785 d. C. El emperador Carlomagno dice que las brujas no existen y que aquel que queme a alguna será ejecutado.

990 d. C. El monje inglés Aelfric, de Winchester, escribe…

Después de un funeral, las brujas se reúnen en los cruces de los caminos para convocar al Diablo, y éste se les aparece con la forma de la persona muerta.

Está convencido de que los cruces de caminos son los lugares por donde merodean los espíritus de los muertos. Las brujas pueden hablar. ¿Cómo se debían sentir los espíritus al ser arrastrados de sus tumbas a ese lugar? Enfadados hasta la muerte.

1231 Conrado de Marburg, el primer cazador de brujas de Alemania, dijo…

Con mucho gusto quemaríamos a cien, aunque sólo una fuera culpable.

1280 Aparecen las primeras obras de arte, representando a las brujas sobre sus escobas.

PENSABA QUE PODÍA VOLAR
¡ESTÁ CHIFLADÍSIMO!

1324 Petronella es la primera persona quemada por ser una «bruja» en las Islas Británicas.

1390 Primera caza de brujas en Francia. Para la Iglesia, las brujas eran criminales. Pero, como la Iglesia no podía ejecutar a nadie, las entregaban a los tribunales para que lo hicieran ellos.

1431 Los ingleses capturan a la francesa Juana de Arco, la chica soldado, la acusan por brujería y la queman en vida.

1542 Enrique VIII introduce una ley en la que manda matar a todo aquel que convoque al espíritu maligno desde el infierno. Además, todas sus riquezas irán a parar a manos del rey. La ley pretendía acabar con cuatro puntos clave de la brujería…

1. Las sentencias de los adivinos: estaba prohibido decir «¡El rey va a morir!» y sembrar el pánico en Inglaterra.

2. Asesinar a alguien utilizando un dibujo de la víctima y destruyéndolo: decían que de ese modo el enemigo moriría.

3. Hacer un brebaje para que alguien se enamorase de ti: la «poción» del amor.

4. Fabricar un fetiche de otra persona. Si se descubría a alguien con uno de esos muñecos, lo ejecutaban y el rey Enrique se quedaba con todas sus pertenencias.

Esta ley rigió durante seis años. Sin embargo, se arrestó a un solo hombre y además... ¡fue puesto en libertad!

1547 El nuevo rey, Eduardo VI, deroga la ley de Enrique. Pero...

1563 La reina Isabel I dice que convocar a los espíritus malignos se penalizará con un año de cárcel. El segundo intento supondrá la ejecución del acusado.

1597 Jaime I de Inglaterra escribe un libro sobre la brujería al que tituló *Demonología*. En él afirma...

El Demonio enseña a las brujas el modo de representar al enemigo utilizando cera o arcilla. Después, al cocer las figurillas, el enemigo se derrite, causándole una enfermedad mortal.

1609 Comienzan los despiadados juicios de Bamberg, en Alemania. El cazador de brujas era el obispo Gottfried von Dornheim. Este hombre de Dios se hace con las riquezas de todas las víctimas una vez muertas. Evidentemente, ordena la ejecución de centenares de ellas.

1645 En Inglaterra, el notorio cazador de brujas Matthew Hopkins lidera los juicios contra las brujas de Chelmsford. Aquel hombre estúpido manda ahorcar a centenares de brujas.

1684 En Inglaterra se ahorca a Alice Molland, la última mujer acusada por brujería.

1692 Norteamérica se une a la cruzada contra las brujas. En Salem encierran a decenas de personas, las afortunadas, y ahorcan a diecinueve, las que tienen más mala suerte. A un granjero realmente desafortunado lo aplastan bajo unas piedras hasta la muerte, que le llegó después de dos días. Tenía ochenta años.

1712 En Hertfordshire se acusa de brujería a Jane Wenham, la última mujer sentenciada a muerte por bruja en Inglaterra. Pero la reina Ana la perdonó[1].

1727 La última mujer quemada en la hoguera por brujería en Escocia es Janet Horn. Sin embargo, miles de años después se sigue creyendo en la existencia de las brujas…

1 Ann Thorn acusó a Jane de convertirse en un gato… pero luego confesó que estaba de mal humor porque su novio la había dejado. Jane vivió hasta los ochenta y ocho años.

1875 En Long Crompton, cerca de Wychwood Forest, encontraron el cadáver de una mujer. Era Ann Turner, y estaba atravesada por una horquilla. James Heywood, un granjero del lugar, dijo en cierta ocasión...

Ella es quién trae las inundaciones y las sequías. Sus maleficios echaron a perder los cultivos. Su maldición causó la muerte prematura de mi padre.

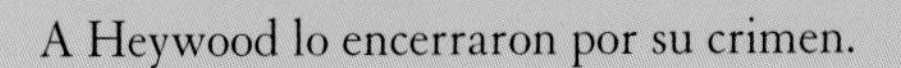

A Heywood lo encerraron por su crimen.

1928 Una familia de campesinos húngaros mata a golpes a una mujer mayor porque creen que es bruja. No reciben ningún castigo.

1945 A Charles Walton, granjero, lo encuentran cerca de Long Crompton (otra vez) atravesado por una horquilla (otra vez). Los lugareños rumorean que se trataba de un hechicero. Nunca encontraron al asesino.

Cómo reconocer a una bruja

La gente creía que las brujas eran feas o que tenían una apariencia extraña. Esto no tiene ningún sentido, evidentemente[2].

Había muchas formas de reconocer a una bruja:

- **Dedos de más:** se decía que la reina Ana Bolena (esposa de Enrique VIII) era una bruja porque tenía seis dedos en una de sus manos. Pero, en realidad, quienes lo afirmaban jamás la habían visto. Podría haber tenido diez dedos…

- **Un bulto en el cuello:** otra vez, se decía que Ana Bolena tenía uno. Pero el bulto no detuvo el hacha que le atravesó el cuello cuando fue decapitada.

¡EL BULTO DA MÁS FAENA!

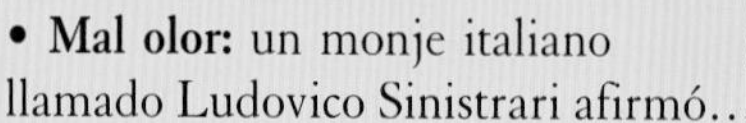

- **Mal olor:** un monje italiano llamado Ludovico Sinistrari afirmó…

A LAS BRUJAS SE LAS RECONOCE POR SU OLOR. ¡APESTAN TERRIBLEMENTE!

2 De hecho, algunos de mis mejores amigos son feos. Bueno, si soy sincero TODOS mis amigos son feos. Sólo estoy con ellos porque me hacen sentir guapo.

Ludovico vivió a finales del siglo XV. Podía incluso contarte POR QUÉ las brujas apestan. Lo explicaba así…

TODAS LAS BRUJAS TIENEN UN FAMILIAR, UN ESPÍRITU ENVIADO POR EL DIABLO
COMO LOS ESPÍRITUS NO PUEDEN VERSE, EL DIABLO LO INTRODUCE EN UN CUERPO
EL CUERPO APESTA Y EL MAL OLOR SE MANTIENE JUNTO A LA BRUJA
¿DE DÓNDE VENDRÁ ESTA PESTE?

• **Caldero:** la olla de las brujas. Se creía que Guillermo de Soulis era hechicero en Escocia, en el siglo XII. Lo ejecutaron en el agua hirviente de su propio caldero.

UNA EJECUCIÓN EXQUISITA
SABÍA QUE MI MAGIA ME LLEVARÍA POR AGUAS TURBULENTAS

• **Palos de escoba:** supuestamente, las mujeres que asistían a las reuniones de brujas (conocidas como aquelarres) llevaban consigo una escoba. La utilizaban como si de un caballo se tratara, galopando cual valiente caballero hacia la corte real.

El cepillo de la escoba iba por delante (como la crin del caballo) y el palo arrastraba por detrás.

NOTAS DE ESA HORRIBLE HISTORIA:

Si veis el dibujo de una bruja sobre una escoba con el cepillo por detrás: a) el artista es un poco bobo, o b) la bruja está volando hacia atrás.

Pruebas terribles

Existían múltiples maneras de «poner a prueba» a una bruja sospechosa, y eran realmente terribles...

1. Natación

A las brujas se las sometía a la famosa prueba de la natación. Para hacerla correctamente:

- El dedo gordo de la mano derecha se ataba al dedo gordo del pie izquierdo, y el de la mano izquierda al del pie derecho (una postura bastante peliaguda para nadar).

- Entonces se tiraba a la víctima al agua.

- En caso de que flotara se consideraba que era el Diablo quién ayudaba a la víctima. Entonces, la sacaban del agua y la ejecutaban.

- Si, por el contrario, la víctima se hundía, se consideraba que era inocente aunque probablemente ya estaba muerta.

¿Sabías que...?

A las mujeres que daban la lata a sus maridos se las conocía como «gruñonas». Las castigaban atándolas a un taburete y tirándolas a las frías aguas de un río. Tal castigo se llamaba «chapuzón» y lo repetían hasta que aprendían la lección. Algunos confunden ese castigo con la prueba de la natación pero los lectores de «Esa Horrible historia» somos más sabios, ¿no?
Los chapuzones continuaron hasta el año 1817, cuando Sarah Leeke recibió ese castigo. Todo terminó como una broma porque no hubo forma de sumergirla en el agua… ¡el río que habían elegido no era suficientemente profundo!

2. Juicio de suplicio total

Los sajones creían en los «juicios de suplicio total», esto significa que, si pasabas una prueba realmente dolorosa, quedabas libre de todo cargo. Incluso hasta después del reinado normando (a partir de 1066) un sajón podía elegir ese tipo de juicio. En 1209, la esposa de Odo, Agnes, lo eligió. Fue la primera mujer juzgada por brujería en Inglaterra.

Se introducía una barra de hierro en el fuego...

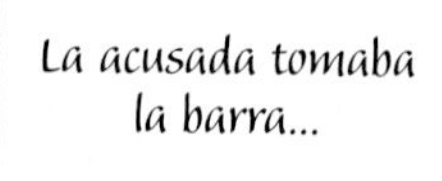

La acusada tomaba la barra...

Caminaba nueve pasos sosteniendo la barra en la mano...

Se le vendaba
la mano...

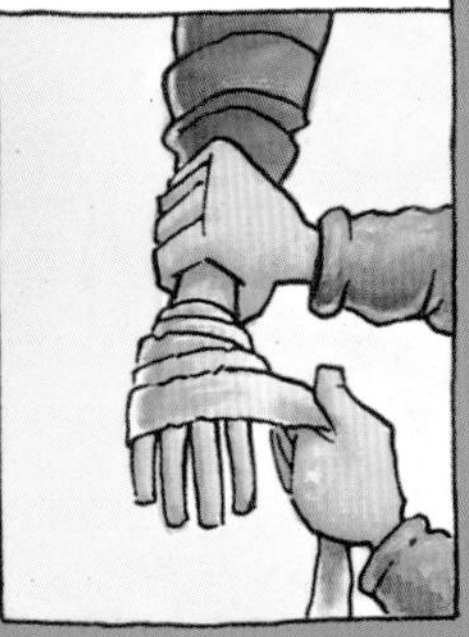

Se le quitaba
el vendaje...

3. Comer pan con jamón
Los irlandeses creían que las brujas tomaban la forma de los humanos pero que no podían comer carne humana ni animal. Michael Clearly puso a prueba a su mujer para comprobar si era una bruja forzándola a comer pan con jamón. Se lo comió, pero aún así la mató.

4. Mantener la calma
En 1595, a Judt van Dorren la juzgaron por brujería en el pueblo de Mierlo, en los Países Bajos. La pusieron a prueba con el famoso «chapuzón» pero no funcionó y la arrestaron. Un escritor de la época escribió:

Cuando la arrestaron y la encerraron no lloró nunca. Cualquier otra mujer lo habría hecho, así que debe de ser culpable.

El escritor también dijo que como Judt «parecía» culpable... debía de serlo. La pobre Judt murió en la hoguera.

5. Ataques de histeria

Hay quién afirmaba que, en el mismo momento en que una bruja les tocaba, les entraba un ataque de histeria. En 1664, en Suffolk, Rose Cullender dijo que se puso histérica cuando la bruja Amy Duny la tocó.

Así que un agente de la ley la puso a prueba:

ROSE CULLENDER SE ENFRENTÓ A AMY DUNY...
¡ME PONDRÉ HISTÉRICA SI ME TOCA!
A ROSE LE PUSIERON UNA SERVILLETA DELANTE DE LA CARA...
EL AGENTE TOCÓ A ROSE...
¡SOCORRO! ¡ME HA TOCADO!
EL AGENTE LE DIJO AL JUEZ...
ROSE CULLENDER ES UNA IMPOSTORA
PUES COLGAREMOS A AMY DUNY IGUALMENTE

Y así fue.

6. Cuerpos sangrientos

Christina Wilson fue ejecutada por bruja en 1551, en Dalkeith, Escocia. Estaba acusada de haber matado a un hombre utilizando la brujería.

La llevaron ante el cadáver de la víctima. Cuando lo tocó, el cuerpo comenzó a sangrar. Se dijo que eso demostraba que ella era la asesina y que era una bruja.

7. Pinchar a la bruja

Se creía que a las brujas las tocaba el Diablo. Que el punto en que las tocaba nunca sangraría. Por eso, los cazadores de brujas se dedicaron a pincharlas por todo el cuerpo para ver si sangraban o no. Si algún punto no sangraba, entonces se la podía ejecutar.

John Kincaid de Dalkeith, en Escocia, era un «pinchador» de brujas. Le pagaban seis libras por cada bruja pinchada. Acusó a Janet Peaston por bruja…

Pasé por su casa y la escuché hablando sola.
¡Sólo las brujas hablan solas!

A Janet Peaston la «pinchó» Kincaid, quien manifestó que no sangraba… pero podía estar mintiendo.

Janet murió en la hoguera, y Kincaid se hizo seis libras más rico.

8. Turcas

Un juguete pequeño y divertido que se utilizaba para arrancarles las uñas a las brujas si se negaban a confesar.

¿SABÍAS QUE...?

Si era imposible DEMOSTRAR que alguien era una bruja, aún así se les marcaba la cara y se las echaba de la ciudad.

Palabras de brujas

Han existido muchas palabras inteligentes atribuidas a las brujas a través de la historia. Estas son algunas de las más útiles que debes saber...

1. Abracadabra

Una palabra mágica típica de la Edad Media era «abracadabra». Se decía que era un hechizo hebreo que venía de las iniciales del Padre, el Hijo y el Espíritu Santo. La palabra se escribía sobre papel y se colgaba del cuello mediante un hilo de lino para tener fortuna.

Si quieres intentarlo, debes escribirlo de este modo...

3. Hocus pocus

Si quieres convertir a tu peor enemigo en un sapo, o aún peor, en un príncipe, o lo peor de lo peor, en un profesor… necesitarás palabras mágicas y perversas como «hocus pocus».

Existen dos teorías sobre cómo los magos comenzaron a utilizar este término.

VIENE DEL NOMBRE DE UN ANTIGUO DIOS ESCANDINAVO QUE SE LLAMABA OCHUS BOCUS
VIENE DE LA MISA DE LA IGLESIA CATÓLICA APOSTÓLICA ROMANA. ES LA FORMA ABREVIADA PARA HOC EST CORPUS MEUM, «ESTE ES MI CUERPO»

3. Pyrzqxgl

¿Estás cansado de tener un cuerpo horrible? ¿Necesitas un cambio? O ¿te cansa ver todos los días al feo de tu profe y quieres cambiarlo por una súper estrella de cine? Pronuncia esta palabra mágica y verás tu deseo hecho realidad.

Ten en cuenta dos pequeños trucos:

a) Tienes que pronunciarlo correctamente.

b) Esta palabra la inventó L. Frank Baum y la utilizó en su libro *El mago de Oz*. Así que no te entusiasmes demasiado porque seguramente te decepcionará.

4. Athame

Se trata de un cuchillo mágico especial. Es de acero, tiene doble filo y el mango negro.

5. Venefica

Es una bruja italiana que envenena a las personas utilizando pociones mágicas.

En el siglo XV, Teofania di Adamo inventó un veneno al que llamaban *Aqua Tofana*. Se cree que doscientos años más tarde, el famoso compositor Mozart fue envenenado con *Aqua Tofana*.

6. Agla

¿Tienes un fantasma en la despensa o en la habitación de invitados? Deshazte de él con la palabra «Agla». Es la forma abreviada de pronunciar las palabras hebreas que significan: «Vuestro arte por siempre soberano, nuestro Señor.»

7. Hechizos alegres: ananisapta

¿Te ha salido un grano en la nariz? Hazlo desaparecer por arte de magia con la palabra «ananisapta».

No se trata de una nueva crema antiséptica, es sólo una palabra mágica. Escríbela en un pergamino y cuélgatelo del cuello. Si en una semana no ha desaparecido, ve al médico.

8. Hechizos alegres: hola nola massa

«Hola nola massa» es un encantamiento de la Edad Media. Lo usaban para protegerse de todos los males, como los deberes, las tareas del hogar o los niños que se hurgan la nariz. Recita estas palabras mágicas…

(También puedes agitar los brazos como las hélices de un avión mientras haces la pata coja. No hará que el hechizo funcione, pero mantendrá bien alejados a los niños que se hurgan la nariz.)

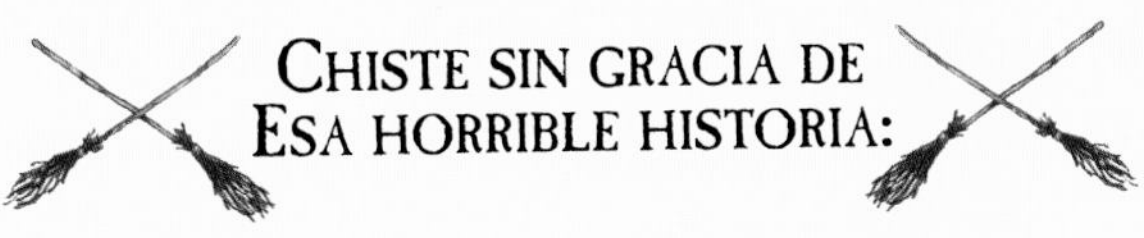

Chiste sin gracia de Esa horrible historia:

¿Por qué las brujas siempre son feas si tienen la palabra mágica «Pyrzqxgl» para mejorar su aspecto? Ya te hemos dicho que, en realidad, ninguno de estos hechizos funciona.

El final de las brujas

No todas las brujas fueron ejecutadas, pero muchas de las juzgadas no tuvieron un final feliz. Tan poco feliz que no te gustaría nada leer al respecto. ¿Que sí te gustaría? Ah, pues nada... tú lo has querido.

El dolor de Petronella

La primera persona quemada en la hoguera por bruja en las islas Británicas fue una sirvienta llamada Petronella.

Su señora, Lady Alice Kytler, vivía en Kilkenny, Irlanda. Las muertes de sus tres primeros maridos la hicieron rica. El cuarto registró sus habitaciones y encontró artículos de magia.

A Alice la arrestaron por brujería. Se decía que elaboraba un veneno para acabar con sus maridos…

Caldo para quitar de en medio a los mariditos

Ingredientes:

El cráneo de un ladrón decapitado. Las uñas de un hombre muerto. Los sesos de un bebé. Lombrices. Intestinos. Hierbas venenosas.

Elaboración:

Mezclar los ingredientes en el interior del cráneo del ladrón y llevar a ebullición[3]. Dejar enfriar. Ofrecerlo al marido del que te quieres librar.

3 No, no entiendo cómo se puede hervir algo en la cabeza de un muerto. Jamás me enseñaron estos usos en la muela... quiero decir, en la escuela.

Alice, su hijo William Outlawe y la sirvienta Petronella fueron procesados.

Alice era rica y pudo sobornar a los jueces para que la dejaran escapar a Inglaterra.

William era rico y donó dinero para la construcción de un nuevo tejado de plomo en la catedral. Lo liberaron.

Pero Petronella era pobre. La azotaron hasta que confesó que era bruja. El 3 de noviembre de 1324 la llevaron a la ciudad para quemarla en la hoguera.

¿SABÍAS QUE...?

El nuevo tejado de la catedral de Kilkenny que pagó William no duró mucho. Pesaba tanto que acabó derrumbándose y se llevó por delante la torre del campanario. Murieron varias personas. ¿Mala suerte o la venganza de la pobre Petronella?

La bruja de Irongray

Ésta es la historia de un final terrible para una pobre anciana en Escocia…

Durante el reinado de Jaime I (1603-1625) o durante los primeros años del reinado de su hijo Carlos (1625-1649), quemaron a una mujer por bruja en la parroquia de Irongray, Escocia. La anciana vivía

en una casita de paredes de adobe. Hilaba lana y tejía calcetines para ganar algo de dinero.

Vivía sola y a menudo se la podía ver a la caída de la tarde sentada en un peñasco recortado sobre el arroyo.

A veces, ya de noche, recolectaba las ramas caídas entre las raíces de un serbal. Tenía una Biblia de letras negras en el alféizar de su ventana, con dos broches dorados de diseño grotesco que la mantenían cerrada. Cuando iba a la iglesia a veces podía verse cómo movía los labios. Era bien conocida porque pronosticaba lluvias y buen tiempo, y acertaba muy a menudo.

Instaron al obispo de Galloway a que castigara a la bruja. Él temía que lo denunciaran al rey si fallaba en ese encargo, así que ordenó que la trajeran a su encuentro en un lugar cercano al arroyo. La sacaron a rastras de su casa. También llamaron a varios vecinos para que testificaran sobre los extraños comportamientos de la anciana.

Fue sentenciada a ser ahogada en el arroyo. Pero los allí presentes insistieron en que la encerraran en un barril de alquitrán y la tiraran al río Cluden. El obispo aceptó de mala gana. A la desdichada anciana la encerraron en el barril, le prendieron fuego y después lo arrojaron a las aguas del Cluden.

Libres por los pelos

Algunas brujas se libraban de sus supuestos crímenes.

Eleonor y la vela

En 1441, Eleonor Cobham deseaba que su maridito, Humphrey, fuera rey. Pero el hermano de Humphrey, John, era uno de los obstáculos.

John murió.

Un hombre llamado Hume dio un paso adelante y dijo…

Hume quedó libre.

Thomas murió en prisión.

Roger fue ahorcado.

Margery murió en la hoguera.

¿Eleonor? La obligaron a caminar por las calles de Londres con una vela en las manos.

¿Se salvó por su título de duquesa? ¿A Margery la quemaron por ser una simple aldeana?

Eran varios los castigos que podía recibir una bruja (consultar páginas 50-56), pero a Margery no la castigaron por ser bruja, sino por haber conspirado contra la vida del rey, por «traición». En Inglaterra, el castigo que recibían las mujeres que cometían traición era la hoguera.

Mágicos polvos blancos

Alrededor de 1650, en el norte de Inglaterra, un hombre pobre se convirtió de repente en rico. Vendía unos polvos blancos que curaban a los enfermos. Lo arrestaron y le preguntaron: ¿El polvo viene de espíritus malignos?

Está claro que tu respuesta sería CLARO QUE NO. Pero aquel señor se inventó una historia sobre que se había encontrado con los espíritus de unas hadas. Era algo así…

ME LLEVÓ A UNA COLINA, LLAMÓ TRES VECES Y LA COLINA SE ABRIÓ
¡UNA CUEVA!

EN EL INTERIOR VI A UNA REINA SENTADA EN SU TRONO RODEADA DE ESPÍRITUS DE HADAS...
LLÉVATE ESTOS POLVOS BLANCOS, SU MAGIA ES BUENA Y CURARÁ A LOS ENFERMOS
LES DARÉ BUEN USO Y PODRÉ ALIMENTAR A MI FAMILIA

CADA VEZ QUE ME QUEDO SIN POLVOS, ME ACERCO A LA COLINA Y LLAMO TRES VECES
BIENVENIDO, AMIGO

HE CURADO A MUCHAS PERSONAS Y NO HE HECHO DAÑO A NADIE
¡MENUDO CUENTO DE HADAS!

El juez pensó que la historia era un auténtico disparate y mandó que lo azotaran durante todo el camino hasta la colina para que recobrara el juicio.

Evidentemente, el tribunal PODRÍA haberlo colgado por hablar con espíritus, ya que era una prueba de brujería.

Pero los aldeanos dijeron que no era culpable y lo liberaron.

Su vida siguió, rico y feliz.

La suerte de Clarke

La última acusación importante hecha a una bruja en Inglaterra fue en 1717. Jane Clarke, de la ciudad de Leicester, fue acusada de brujería. Muchos querían ir a juicio para condenarla por bruja, pero los agentes de la ley rechazaron el caso.

Janet Horne no tuvo tanta suerte diez años después en Escocia. La quemaron dentro de un barril de alquitrán.

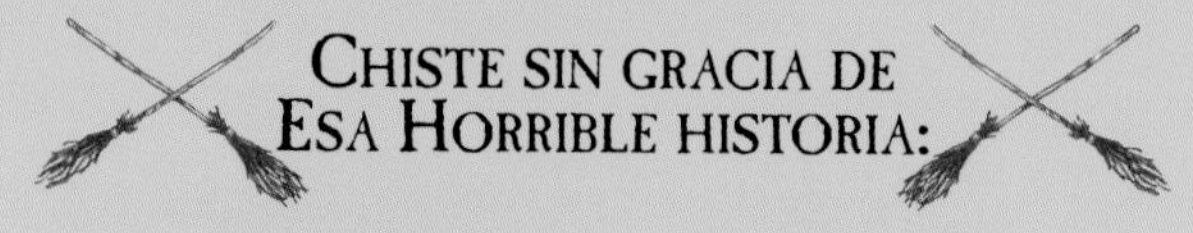

CHISTE SIN GRACIA DE ESA HORRIBLE HISTORIA:

¿Por qué las brujas no beben vino?
Porque no pueden ni oír hablar de los barriles.

Soy bruja

A través de la historia, tantos han creído en las brujas que podrían haber sido noticia de primera plana... si hubieran existido los periódicos. Aquí os presentamos diez historias reales tal y como podrían haber aparecido en portada. Pero algún cazador de brujas se ha dedicado a borrar las palabras clave.

Estas son las palabras que faltan, pero no están en orden: palo de escoba, soldado, ataúd, monasterio, cabeza de un cadáver, caballo, cuerda, pollos, pulga, marido. Colócalas en el lugar donde corresponda.

1. Ayer fue puesta en libertad una bruja tras prometer que nunca volvería a hacerlo. Su libro de hechizos, el cráneo y la ________ fueron quemados en la plaza del pueblo. (Inglaterra, 1307)

2. Hoy ha sido quemada Bessie Dunlop por brujería. Se la conocía como la bruja de Dalry. Dijo que un ________ llamado Thomas Reid la había ayudado. Pero Reid está muerto desde hace treinta años. (Escocia, 1576)

3. Hoy, el rey Enrique VIII ha decretado una nueva ley que dice que no está permitida la producción de figurillas de hombres, mujeres y niños. Tampoco la de ángeles, demonios o ________ (Ley inglesa, 1542)

4. Elizabeth Francis de Essex afirmó que había usado la magia para dejar a su ________ cojo. La encerraron durante un año. (Inglaterra, 1566)

5. Anne Armstrong de Corbridge dijo que se había convertido en un ________ para que su amiga Jane Baites pudiera montarla. (Inglaterra, 1673)

6. Isobel Gowdie se escabullía por las noches para asistir a reuniones de brujas a escondidas de su marido. En la cama, dejaba un ________ en su lugar.

7. Una mujer del sur de África dijo haber volado a lomos de una ________ (Sudáfrica, s. XVII)

8. Urbain Grandier fue quemado vivo porque envió a los demonios a atacar un ________ (Francia, 1630)

9. Edmund Hartley hizo un círculo de magia y lo tuvieron que ahorcar dos veces porque en el primer intento la ________ se rompió. (Inglaterra, 1596)

10. Una niña de Salem puso la clara de un huevo en un vaso con agua y tuvo una visión de su futuro: su ________ (Norteamérica, 1692)

Respuestas: 1) cabeza de un cadáver, 2) soldado, 3) pollos, 4) marido, 5) caballo, 6) palo de escoba, 7) pulga, 8) monasterio, 9) cuerda, 10) ataúd.

La salvaje caza de brujas

Había épocas en las que todos se volvían un poco chiflados y veían brujas por todas partes. Se dejaban llevar por el pánico. Llegaban a creer que sus amigos y vecinos eran brujas o magos. Fue el inicio de importantes cazas de brujas en las que perecieron miles de ellas.

Torturas terribles

Si una bruja decía: «Soy bruja», se la quemaba. Si una bruja decía: «No soy bruja», se la torturaba hasta que admitía que Sí lo era.

Eso es lo que le sucedió a la familia Pappenheimer a principios del siglo XIV en Baviera, Alemania. El padre de familia, la esposa y sus tres hijos se ganaban la vida limpiando pozos negros.

El duque Maximiliano I de Baviera quiso juzgar a la familia en un «juicio-espectáculo». El juicio demostraría a su país que «el crimen no da riqueza».

Cuando se negaron a confesar los torturaron mediante el denominado «strappado»...

A LAS VÍCTIMAS SE LES ATABAN LAS MANOS DETRÁS DE LA NUCA CON UNA CUERDA ALREDEDOR DE LAS MUÑECAS Y LAS COLGABAN DE UNA VIGA.

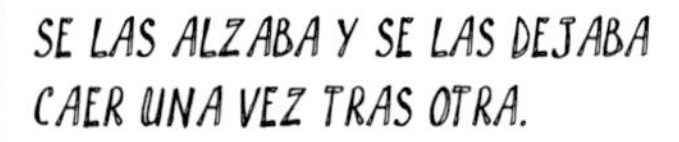

SE LAS ALZABA Y SE LAS DEJABA CAER UNA VEZ TRAS OTRA.

SI ESO NO ERA SUFICIENTE, SE LES APLICABA EL «SQUASSATION», QUE CONSISTÍA EN COLGARLES PESOS DE LOS PIES MIENTRAS PERMANECÍAN EN EL AIRE.

MUCHOS TORTURADORES UTILIZABAN UN INSTRUMENTO PARA APRETAR LOS DEDOS PULGARES DE LAS VÍCTIMAS DURANTE EL «STRAPPADO».

Normalmente, después de cuatro *squassations* la víctima llegaba a la muerte.

Tras largas torturas, los Pappenheimer dijeron que habían cometido una cantidad increíble de crímenes. Casi todos los crímenes no resueltos en Baviera durante los diez últimos años.

En su confesión, los Pappenheimer dieron unos 400 nombres, pero muchas de esas personas ni siquiera existían.

- Los llevaron a la plaza del mercado y los ataron a postes.
- Les arrancaron la carne con tenazas al rojo vivo.
- Les hicieron beber vino y los llevaron en carretas hacia su ejecución.
- Los ataron a un marco de madera.
- Les dejaron caer una rueda pesada sobre las piernas para aplastárselas una por una.
- Los ataron a una silla dentro de la hoguera, hasta que murieron quemados.
- El hijo menor, Hansel, fue obligado a presenciar cada minuto de la agonía de sus padres.
- Después de la ejecución, a Hansel lo devolvieron a su celda.
- El 26 de noviembre de 1600 fue quemado vivo atado a un poste.

La tragedia de las brujas

En el siglo XV se dieron terribles cazas de brujas en Alemania. Una de las víctimas fue Johannes Junius. Antes de que lo llevaran desde la prisión hasta la hoguera se las arregló para escribir una carta a su hija Verónica…

Te envío un millón de buenas noches, mi querida hija Verónica. He entrado en prisión siendo inocente, inocente me han torturado y hoy, inocente, me ejecutarán…

... ya que quienquiera que entre en prisión por brujería debe convertirse en brujo o será torturado hasta que invente historias delirantes. El verdugo me ha aplastado los pulgares hasta que la sangre me salía a chorros por las uñas. Durante cuatro semanas no puede utilizar las manos.

Después me desnudaron, me ataron las manos por la espalda y la cuerda la ataron a una viga. Me hicieron subir a una escalera y luego la retiraron. Ocho veces me alzaron y me dejaron caer en terrible agonía.

Con la ayuda de Dios superé la tortura. Por último, el verdugo me llevó de vuelta a mi celda y me dijo: «Señor, le ruego por el amor de Dios que confiese algo, aunque no sea verdad. Invénteselo. Aunque resista la tortura, nunca podrá escapar, ni aunque tuviera el título de conde. No dejaremos de torturarle hasta que confiese alguna brujería.

Preciosa mía, guarda esta carta en lugar secreto para que nadie pueda encontrarla, si no mi tortura será aún más cruel y los carceleros serán decapitados. Mi querida niña, ofrece una moneda de plata[4] *al mensajero... Me ha costado varios días escribir estas palabras ya que tengo las dos manos inmovilizadas. Me encuentro en un estado penoso. Buenas noches, tu padre Johannes Junios, que nunca volverá a verte.*

4 La moneda de curso de la Edad Media.

Finalmente, Johannes Junius confesó ser brujo, y en agosto de 1628 lo quemaron en la hoguera.

Torturas en Bamberg

Durante los años veinte del siglo XV se llevaron a cabo cientos de juicios por brujería en la ciudad de Bamberg, Alemania.

A las víctimas se las torturaba obligándolas a…

¡EL PATITO SE HA DERRETIDO!
Darse baños de agua hirviendo
HUELE A TRASERO ACHICHARRADO
¿SE HA INVENTADO YA EL SACAPUNTAS?
Sentarse en sillas de hierro caliente
Arrodillarse sobre púas

De camino a la ejecución, a las víctimas les cortaban las manos. A niños de tan sólo seis meses también los torturaban y ejecutaban.

Las brujas de Salem

Todo comenzó en 1692 en Salem, Massachussets, cuando tres niñas de nueve, diez y doce años se convirtieron en causa de muertes y problemas. Cuando Betty, Abigail y Ann empezaron a comportarse de un modo extraño, el médico encontró la clave del asunto…

¿A quién podían culpar? El padre de Betty era el pastor de la iglesia, así que no podían acusarlo a él. Pero la familia tenía una esclava negra, Tibuta, que había estado enseñando a las niñas a adivinar el futuro. A ella sí que podían culparla.

Las reglas para la cacería de brujas eran claras:

Evidentemente, todas las acusadas tuvieron que acusar a otra persona para salvarse y, finalmente, ciento cincuenta personas fueron acusadas de ser brujas (aún sabiéndose que no lo eran).

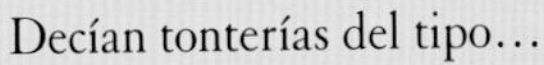

Decían tonterías del tipo…

Betty, Abigail y Ann dijeron…

Eso debería haber puesto en orden el asunto. Pero los acusadores dijeron…

Así que colgaron a diecinueve mujeres. Pero un brujo se llevó la peor suerte. Se negó a confesar si era culpable o no y su castigo consistió en enterrarlo bajo un pilón de piedras hasta morir aplastado.

Todo porque tres pequeñas mentirosas ese día se sentían bromistas.

Niños crueles

En los siglos XIV y XV todos estaban involucrados en la caza de brujas, incluso los niños...

El malvado Edmund

En los pueblos, las mujeres sabias ganaban algún dinero prediciendo el futuro, haciendo curas sencillas a personas o animales enfermos o buscando cosas que las personas del pueblo hubieran perdido.

El problema estaba en que a la mujer sabia la podían considerar bruja por hacer esas cosas. Si alguien se disgustaba contigo, podía pasar informes negativos sobre ti y poner tu vida en peligro. Incluso SIN disgustar a esa persona, podía culparte de todos modos.

Eso es exactamente lo que sucedió en la aldea de Fence, en Lancashire, durante la celebración de Halloween en 1632.

El padre de Edmund contó más tarde la verdad sobre su hijo...

Nuestro Edmund no es un mal chico. Un poco imaginativo, pero no malo. Contó una historia sobre que había estado en el páramo, cerca de Fence... la aldea de Fence. Que vio dos perros de caza que arrastraban cadenas.

Dijo que quería que los sabuesos cazaran una liebre pero que, cuando se negaron a correr, les pegó con una rama... y eso los convirtió en seres humanos.

Supo enseguida quién era la responsable de aquello: Frances Dickenson, nuestra vecina.

Dijo que ella le había prometido darle dinero si mantenía el secreto. Él se negó, por supuesto. Sabía reconocer muy bien la brujería.

Así que lo ataron. Entonces, Frances convirtió a su amigo en un caballo blanco y subió a nuestro pequeño Edmund a su lomo. Lo llevaron a un aquelarre, donde vio a brujos y brujas en pleno festejo.

Naturalmente, pensó que se iba a convertir en la ofrenda de un sacrificio… tú también lo hubieras pensado.

Así que se fue corriendo y se lo contó al juez. La vieja Frances Dickenson fue arrestada y acusada… junto con un montón de personas. Todos recibieron sentencia de muerte. Todos bajo la palabra de nuestro Edmund.

Pero el juez retrasó las ejecuciones.

¡Nuestro Ed se convirtió en toda una celebridad! Se creía que era capaz de cazar a las brujas con tan solo mirarlas. Le pagaban por cada bruja que señalaba. Ganó mucho dinero.

Mucho.

Después se demostró que era un mentiroso. Las brujas fueron liberadas e investigaron la historia de Edmund. Y parece que todo había sido un montaje. ¿Y quién era el autor? Yo. Hicimos mucho dinero. Mucho.

No sólo el padre de Edmund sacó dinero con el sufrimiento de Frances Dickenson. Un escritor convirtió la historia de la bruja en una obra de teatro que se hizo muy popular en Londres.

Un vicario llamado John Webster conoció a Edmund y escribió un libro sobre sus artes para descubrir brujas. Todos ganaron dinero con la historia... todos menos los pobres hombres y mujeres que fueron encerrados durante meses en el frío castillo de Lancaster.

Niños malos

Muchos niños decían mentiras sobre las brujas. Por ejemplo, en Inglaterra, en el siglo XV...

El niño de Leicester

John Smith fue un farsante de cuatro años de edad... no ejecutaron a nadie. Pero en 1616, cuando volvió a intentarlo, fueron ejecutadas nueve mujeres y otra murió en la cárcel.

El niño de Burton

A Alice Goodrich, un niño llamado Thomas Darling la acusó de ser bruja. Se inventó la historia. Pero la inocente Alice murió en la cárcel, en Derby, antes de ser juzgada.

El niño de Bilson

En 1620, William Perry dijo que las brujas lo torturaban... luego dijo que había mentido porque le gustaba llamar la atención. Un sacerdote le enseñó a no fingir su tormento vomitando trapos, hilo, paja y alfileres torcidos.

Niñas truculentas

A la hora de mentir, las niñas podían ser mucho peores que los niños...

La impostora de Bargarran

Las mentiras de una niña de once años llamada Christine Shaw ocasionaron la acusación de veintiuna personas. A siete las quemaron en la hoguera en Paisley. Christine solía tener ataques y gritaba que había espíritus que la torturaban. Aquel juicio se conoció también por el nombre de Las brujas de Renfrewshire.

Siri Jorgensdatter

Una niña noruega de trece años dijo a los agentes de la ley que su abuela era una bruja que la había llevado al festín de Blakulla con el Diablo.

Anne Durant de Bury St. Edmunds

En 1660, Anne dijo que una bruja del lugar le enviaba fantasmas para que la asustaran. La bruja fue ahorcada.

Curas de brujas

En la Edad Media no había muchos médicos. Si tenías dinero, podías permitirte pagar un médico, pero los aldeanos pobres tenían que conformarse con una mujer o un hombre sabio.

A una persona sabia podías pedirle que encontrase algo que habías perdido. Podías pedirle que te predijera el futuro. Esas personas conseguían algunas curas a base de hierbas y otros ungüentos mágicos. A menudo se decía que eran brujas.

¿Cuáles eran las curas de brujas que funcionaban?

NOTA DE ESA HORRIBLE HISTORIA:
Advertimos a los lectores de este libro que NO prueben ninguna de estas curas en casa. Aunque no vayan a matarte, podrían enfermarte. Léelas sólo para pasarlo bien, nada más.

Verrugas

Existen muchas curas para las verrugas. Puedes intentarlo frotando la verruga contra el lomo de un cerdo, por ejemplo.

¿POR QUÉ NO PRUEBAS EN LA FARMACIA?

Sarpullidos de bebés

Dale una oportunidad al sarpullido de tu bebé con esta cura de la Edad Media…

> Toma de una mujer un mechón de
> su cabello y quémalo en el exterior.
> Las serpientes no se acercarán ni un
> pelo pues el humo les causa temor.
>
> Frota el pelo quemado en los
> ojos irritados o las verrugas:
> desaparecerán. Miel y pelo
> mezclados, la piel del
> bebé curarán.

Dolor de cabeza

Asiste a una ejecución pública. Una vez muerto el criminal, cómprale un trozo de la soga de la horca al verdugo. Frota tu cabeza con ella, y el dolor de cabeza desaparecerá.

BUENO, CON EL CRIMINAL SÍ QUE FUNCIONÓ. NO VOLVERÁ A TENER DOLOR DE CABEZA

Incluso en el siglo XVII, las personas todavía creían en esta cura mágica. Si no podían conseguir la soga de una horca, en su lugar utilizaban la piel de una serpiente. La metían dentro de sus sombreros.

Dolor de oído

Hay que mezclar...

Introduce la mezcla de los ingredientes en el oído y utiliza un poco de lana negra para taparlo. Después de todo, sólo faltaría que la cucaracha saliera por patas, ¿no crees?

Un libro de brujería publicado en 1773 dice que puedes utilizar saliva de rana. Pero lo que no dice el libro es cómo hacer que la rana escupa. ¿Serán las ranas como los humanos? ¿Escupirán sólo las ranas maleducadas?

El test de los hechizos

Te presentamos aquí ocho hechizos y sus diferentes efectos, pero están desordenados. ¿Podrías ponerlos en orden?

El premio, si lo consigues, es ser quemado como una bruja. Es que tienes que ser brujo para conocer todas las respuestas.

El premio, si no lo consigues, es convertirte en rana –a no ser que ya seas una rana–. En ese caso, te convertirás en un horrible historiador.

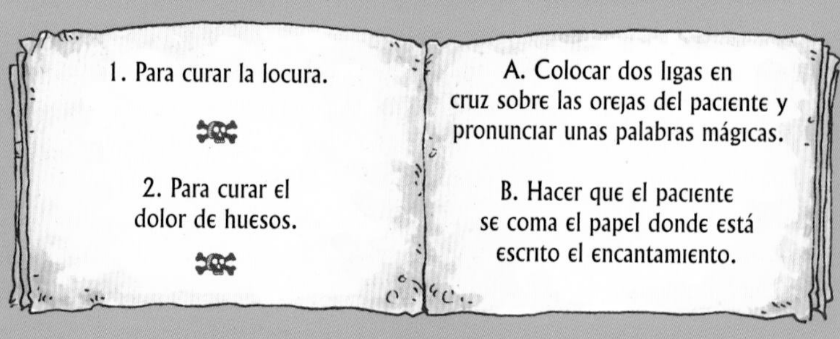

1. Para curar la locura.

2. Para curar el dolor de huesos.

A. Colocar dos ligas en cruz sobre las orejas del paciente y pronunciar unas palabras mágicas.

B. Hacer que el paciente se coma el papel donde está escrito el encantamiento.

3. Para que alguien se enamore de ti.

4. Para curar a un perro rabioso.

5. Para curar el dolor de cabeza.

6. Para curar enfermedades de animales.

7. Para curar el mal de amores.

8. Para saber el nombre de un criminal.

C. Saltar en un río.

D. Soltar a un murciélago vivo dentro de la habitación de la víctima.

E. Esparcir pétalos de rosas en su camino.

F. Escribir los nombres de los sospechosos en trocitos de papel y colocarlos uno a uno entre las páginas de una Biblia.

G. Hervir un mechón de pelo de la víctima en su propia orina y tirarla sobre una hoguera.

H. Atar hierbas a la cola del animal o darle un golpecito con una varita mágica.

Respuestas: 1) D, 2) C, 3) E, 4) B, 5) G, 6) H, 7) A, 8) F. Nota: 8) F (La Biblia se pondrá a temblar cuando introduzcas el nombre del culpable en su interior.)

¿Cómo te ha ido?

YO TENGO UN DIEZ. ¿SOY UNA BRUJA?
NO, ERES UNA MENTIROSA PORQUE SÓLO HAY OCHO PREGUNTAS

Leyes contra las brujas

Sabemos que no eres lo suficientemente tonto como para creer en las brujas. Pero las personas inteligentes que se encargan de redactar las leyes sí que lo son. Aquí te mostramos algunos de los extraños castigos que las brujas han tenido que soportar.

5: PICOTA
¡NI SE TE OCURRA!
6: ROLLO EN LA CABEZA
¿PERO ESTE ES BURRO O QUÉ?
7: DECAPITACIÓN
SI UNO MÁS ME DICE QUE LE DUELE LA CABEZA, SE LA CORTO
8: PEDRADAS
9: HOGUERAS
10: PUÑALADAS
ESTO SE PONE FEO

Así es cómo funcionaban estos asquerosos castigos…

1. Ayunos forzados

Alrededor del año 670, el arzobispo de Canterbury estableció que el castigo por brujería debía ser pasar hambre…

2. Exilio

Alrededor del año 860, el rey Aetheldred decidió que era mejor deshacerse de las brujas de su reino. Las brujas le sacaban de quicio…

Pero no pasaron ni cien años, para que el rey Aethelstan decidiera que todas las brujas debían morir. Este Aethel no podía ni verlas…

3. La horca

En 1563 se promulgó una ley que dictaba que las brujas inglesas y escocesas debían morir. En Inglaterra morían ahorcadas y en Escocia, en la hoguera.

En 1566 encontraron culpable a Agnes Waterhouse, y fue ahorcada en Chelmsford. ¿Cuál había sido su crimen?

4. Morir ahogados

En los años noventa del siglo VIII, el rey de Noruega, Olaf Tryggvason, ordenó atar a todos los hechiceros varones y abandonarlos en una pequeña isla rocosa. Cuando la marea subía, morían ahogados.

¿Sabías que...?

El propio Olaf murió ahogado. Cuando los suecos estaban destruyendo su armada, saltó de su barco de guerra y encontró la muerte. Es más rápido que esperar a que la marea suba lentamente y te ahogue. Quizás ese final acuático le sirviera de lección.

5. Picota

En 1390 arrestaron a John Berking, un adivino londinense. Su crimen era predecir el futuro de las personas. Berking pasó una hora en la picota, dos semanas en la cárcel y fue desterrado de Londres.

6. Rollo en la cabeza

En 1467, William Byg, del sur de Yorkshire, fue arrestado por mirar

una bola de cristal. Dijo que la bola de cristal le mostraría los nombres de unos ladrones. A Byg lo exhibieron en público con un rollo en la cabeza. En el rollo estaban escritas las palabras: «Soy adivino».

Durante cientos de años, muchos profesores copiaron la idea del mensaje en la cabeza para poner a sus estudiantes en evidencia.

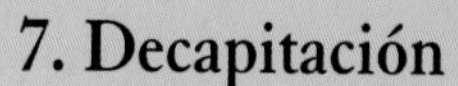

7. Decapitación

En 1540, todo el mundo se preguntaba: «¿Cuántos años vivirá nuestro rey, el gordo de Enrique VIII?

Lord Hungerford intentó contestar esta pregunta con brujería. Lo descubrieron y lo decapitaron. Era un lord. A la gente común y corriente como tú y yo los ahorcaban, pero a los nobles se les cortaba la cabeza.

8. Pedradas

La primera mención a los castigos para las brujas se hace en la Biblia. En el Levítico 20:27 se lee:

> El hombre o la mujer que utilice la magia será apedreado y obligado a morir bañado en su propia sangre.

La gente corriente podía unirse al apedreamiento. Las piedras debían ser pequeñas para que la muerte fuera lenta y dolorosa.

9. Hogueras

A las brujas de Escocia y Europa las quemaban hasta la muerte. Normalmente las estrangulaban primero para que no sufrieran una muerte lenta en la hoguera.

Si el verdugo era muy cruel, utilizaba madera húmeda para que ardiera lentamente.

Al menos cuatro grandes cazas de brujas llevaron el terror a tierras escocesas entre 1590 y 1680. En 1597, en la ciudad de Aberdeen, veintitrés mujeres y un hombre fueron estrangulados y quemados en la hoguera. Otros estaban tan aterrorizados ante una muerte de ese tipo que se suicidaron en la cárcel.

No importa. Los habitantes de Aberdeen se unían en sed de venganza. Sacaban los cuerpos de la prisión y los arrastraban por las calles hasta hacerlos pedazos.

10. Puñaladas

En el año 415, la mujer sabia Hypatia de Alejandría (Egipto) fue acusada de ser una bruja. La atacó una muchedumbre de cristianos. Utilizaron trozos de cerámica rota para arrancarle la piel.

Este castigo para las brujas lo inventó el emperador romano Constantino.

Constantino dijo…

A las brujas hay que arrancarles la carne de los huesos con ganchos de hierro.

Los cristianos no tenían ganchos de hierro, así que rompían su vajilla y utilizaban los trozos rotos en su lugar.

¡NO QUIERO DEJAR ESTE MUNDO CORTADA Y DESPELLEJADA POR PLATOSY TAZAS ROTOS![5]

¿SABÍAS QUE...?

Las personas a veces se tomaban la justicia por su mano con las brujas. En 1867, los vecinos de la calle Sheep, en Stratford, pensaban que Jane Ward era una bruja. Un hombre llamado John Davies, que vivía en la misma calle, culpaba a la vieja Jane de haber enfermado a su hija enviándole espíritus malignos a través de la chimenea. La policía se negó a arrestar a Jane, así que Davies salió a la calle y le acuchilló la cara. Dijo…

SI HACES SANGRAR A UNA BRUJA, NUNCA MÁS PODRÁ HACERTE DAÑO

Y la vieja Jane nunca volvió a hacer daño a nadie, ya que murió pocos días después del ataque. Davies sólo pasó seis meses en prisión. ¿Qué te parece?

5 No creo que estas sean palabras fáciles de pronunciar cuando están a punto de hacerte picadillo. Es más probable que Hypatia dijera algo como: «¡Eh, tú, quítame esa taza del ojo!».

Las maldiciones más curiosas

Todos sabemos quién nos gusta y quién no nos gusta. Pero no por eso les echamos una maldición.

Si creyeras que tienes poderes mágicos, a lo mejor lo intentarías. En el pasado, hay quienes intentaron maldiciones tan curiosas como estas:

1. ¡Ahogad a ese rey!

En 1591, en el norte de Berwick (Escocia), Agnes Sampson fue arrestada. Fue acusada de intentar asesinar al rey Jaime VI de Escocia provocando la tormenta que hundió su embarcación.

Ella confesó que era verdad y relató los hechos siguientes:

A
PRIMERO DESENTERRÓ UN CADÁVER FRESCO DE UN CEMENTERIO.

B
LE CORTÓ LOS BRAZOS Y LAS PIERNAS.

C
ATÓ LOS BRAZOS Y LAS PIERNAS A LAS PATAS DE UN GATO.
D
ECHÓ EL GATO AL MAR EN EL LUGAR DONDE DESEABA QUE SE DESATARA LA TORMENTA.
¡PLAF!

Jaime dijo que Agnes estaba mintiendo.

Entonces, Agnes se llevó a Jaime a una habitación a parte. Le repitió las palabras que él le había dicho a su esposa la noche de su boda.

Jaime quedó totalmente impresionado.

¡CREO TODAS Y CADA UNA DE LAS PALABRAS QUE PRONUNCIAS!

Agnes y muchos de sus allegados murieron en la hoguera.

Jaime se convirtió en el rey Jaime I de Inglaterra y escribió un libro sobre brujería con el título de *Demonología*.

¿Sabías que...?

Cuando Agnes Sampson planeaba echar una maldición sobre el rey Jaime intentó hacerse con una pieza de su ropa interior. El plan era embadurnarla con el veneno de un sapo y así provocarle un dolor muy agudo. Pero no funcionó, Jaime nunca perdía su ropa interior de vista.

¡ESAS MUJERES SE HAN LLEVADO MIS CALZONES!
¡MENUDAS LADRONZUELAS!

2. La sangrienta maldición de la condesa de Bathory

¿Tienes algún enemigo del que quieras deshacerte definitivamente? ¿Quieres que su final sea muy doloroso? Esta maldición del siglo XV, típica de Europa del Este, funciona a la perfección.

Una gota de sangre

Ingredientes:

Una gallina negra, un palo blanco, la ropa del enemigo

Preparación:

1. Colocar la gallina negra en el suelo.
2. Apalearla con el palo blanco hasta que muera.
3. Guardar la sangre de la gallina y dejar caer una gota sobre el enemigo.
4. Si no es posible acercarse al enemigo, hacerse con su ropa y mancharla con la sangre.
5. El enemigo morirá con la misma agonía que la gallina.

La BUENA noticia es que, si lo intentas ahora mismo, no te encerrarían por asesinato porque nadie creería que la maldición funciona.

La MALA noticia es que sí que te encerrarían por maltratar a la gallina y te serviría de lección, eso sí. Así que NO intentes hacerlo en casa.

¿Sabías que...?

Elizabeth Bathory (1560-1614), una cruel condesa de Transilvania, utilizó esa maldición. También intentó eliminar a sus enemigos bañándose en veneno. Así que, con el agua del baño y algo más, les preparó un pastel. Les dio dolor de tripas, pero ninguno murió.

3. ¡Echad una maldición a esa vaca!

Los campesinos franceses eran pobres y odiaban a los agricultores ricos. Sentían envidia de todo el dinero que tenían, así que algunos conspiraron una venganza basada en la brujería.

En 1597, en Lorraine, una mujer francesa llamada Senelle Petter

fue acusada de maldecir a los mejores animales de un granjero y de dejarlos a todos cojos.

Durante el juicio, Senelle le contó al juez cómo lo hizo…

FUI A UN FUNERAL Y VI QUE EL CUERPO ESTABA COSIDO A UNA SÁBANA
A UNA MORTAJA
TOMÉ LA AGUJA QUE SE HABÍA USADO PARA COSER LA SÁBANA... QUIERO DECIR, LA MORTAJA
¿Y QUÉ HIZO CON LA AGUJA?
LA USÉ PARA HACER UN AGUJERO EN LAS HUELLAS QUE HABÍA DEJADO LA MEJOR VACA DEL GRANJERO
¿Y ESO LA VOLVIÓ COJA?
¡CASI NO PODÍA CAMINAR!
ENTONCES ERES CULPABLE DE BRUJERÍA Y DEBES MORIR EN LA HOGUERA

Senelle también echó una maldición sobre un cura, que murió poco después.

4. ¡Matad al enemigo!

Se decía que las brujas mataban a sus enemigos fabricando una figurilla de la persona a la que odiaban. Si deseaban causarle un gran dolor en la pierna, hincaban un alfiler en la pierna de la figurilla.

Si querían MATAR a la persona se lo clavaban en el corazón.

¿Cómo se fabrica una figurilla de tu enemigo? En 1566, John Walsh de Inglaterra lo explicó así:

En 1586, un mago italiano llamado Girolamo Menghi dijo que conocía a una bruja que construía figurillas con plumas. A lo mejor la víctima moría de un ataque de cosquillas.

6 ¿Cómo se puede recuperar una costilla de las cenizas? No lo sé. Si REALMENTE necesitas saberlo, tendrás que preguntarle a John Walsh. Buena suerte.

5. ¡Comeos al enemigo!

En Escocia, durante las cazas de brujas de 1657-1661, Isobel Craig, del norte de Berwick, fue acusada de ser bruja. Maldijo a otra mujer con las palabras…

¡QUE EL DIABLO TE REVUELVA LOS SESOS Y QUE LOS PIOJOS TE DEVOREN LAS CARNES!
¿ME LO PARECE A MÍ O TODO ESTO SUENA MUY MAL?

La mujer arañó a Isobel, porque supuestamente un arañazo neutraliza los efectos de la maldición de una bruja.

6. ¡Niño al caldero!

En 1619, Joan Flower y sus hijas servían en el castillo de Leicestershire, en Inglaterra. A una de las hijas, Margaret, la despidieron por robar algunos objetos. Joan decidió vengarse en los hijos de su amo.

ROBÓ LOS GUANTES DE LOS NIÑOS, HENRY Y FRANCIS...
HIRVIÓ EL GUANTE DEL PEQUEÑO HENRY EN UN CALDERO Y LE CLAVÓ UNAS AGUJAS. HENRY MURIÓ DE FIEBRE
ENTERRÓ EL GUANTE DE FRANCIS EN UNA PILA DE ESTIÉRCOL. FRANCIS MURIÓ EN POCAS SEMANAS

La familia Flower fue arrestada. Y Joan se burló de los jueces…

Le dieron el pan.
Se atragantó y murió en el acto.
Espeluznante, ¿verdad?

7. Lamer un amuleto

Muchos utilizaban ese método para romper una maldición. Si crees que una bruja te ha echado una maldición, busca un amuleto de la suerte y…

- Chupa el amuleto de arriba hacia abajo.
- Después hazlo de un lado hacia el otro.
- Y otra vez de arriba hacia abajo.

Si percibes un sabor salado en la lengua es que has roto el hechizo.

El test de la brujería

¿Cuánto sabes acerca de las brujas? Ponte a prueba con este test. Si obtienes una puntuación de diez puntos es que te ha ayudado el Diablo y... ¡serás sentenciado a muerte! (Pero es una muerte por edad avanzada, así que todavía no tienes por qué preocuparte.)

Si puntúas cero, debes de ser un ángel.

1. En el siglo XIV podían ejecutarte por creer en…
a) Que frotar tu cuerpo con mocos y hollín te hace invisible.
b) Que hay hadas en tu jardín.
c) Que el Diablo se materializa en forma de profesor.

2. Mary Bateman era una embaucadora. Pero en 1805, en la ciudad de Leeds, convenció a la gente de que era una bruja. ¿Cómo lo consiguió?
a) Voló sobre una escoba.
b) Hizo desaparecer un elefante.
c) Tenía una gallina que ponía huevos con mensaje.

3. En 1595, Marie Baten fue arrestada por bruja en Mierlo, Países Bajos. ¿Qué pidió que le hicieran en el juicio?
a) Que la hundieran para probar que no era una bruja.
b) Que la quemaran porque sí que era una bruja.
c) Que la cocinaran y utilizaran su hígado para alimentar a los pobres de Mierlo.

4. En 1894, en Clonmel, Irlanda, el marido de Bridget Clearly dijo que ella mostraba signos de ser una bruja. ¿Cuáles?

a) Le salían verrugas en la barbillas.

b) Había crecido dos centímetros.

c) Se hizo guapa de la noche a la mañana.

5. En 1565 se decía que Agnes Waterhouse, de la ciudad de Chelmsford, había transformado en sapo a su gato blanco. ¿Por qué se decía eso?

a) Quería hacerse mitones con su gatito.

b) Quería obtener grasa de su gato.

c) Quería sapo a la cazuela para cenar.

6. En 1605, en la ciudad de Oxfordshire, Brian Gunter se sentía culpable porque había matado al hijo de su vecino. En lugar de pedir perdón, convenció a su hija para acusarlos por brujería. ¿Cómo mató al hijo del vecino?

a) En una pelea.

b) En un accidente entre una carreta y un caballo.

c) En un partido de fútbol.

7. En 1692, en Norteamérica, un hombre llamado Giles Corey se negó a admitir que era brujo. ¿Qué hizo la ley para obligarlo a confesar?

a) Le hicieron cosquillas en los pies hasta que no pudo aguantar más.

b) Le arrancaron una a una las uñas de las manos y los pies.

c) Lo aplastaron lentamente bajo un gran peso.

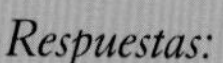

Respuestas:

1b) En 1576, Bessie Dunlop de Ayrshire fue acusada por brujería. Probablemente la torturaron y dijo…

Estaba llevando a mi vaca a pastar al campo y me encontré con un hombre mayor con la barba gris y un abrigo también gris. Llevaba una gorra negra en la cabeza y una varita mágica blanca en la mano. Me indicó el camino hacia un lugar donde me encontré con cuatro hombres y ocho mujeres de Elfame[7]*. Vestían como humanos, pero de un modo muy elegante, los hombres como caballeros y las mujeres con tartanes escoceses. Fueron muy amigables conmigo y me pidieron que fuera con ellos a Elfame. Me dijeron que allí comería bien y que mi aspecto sería hermoso, pero no me fui con ellos.*

La quemaron en la hoguera por creer en las hadas.

2c) La gente pagaba un penique para ver la gallina mágica de Mary Betamn. Cuando Mary sacaba un huevo del nido de la gallina se podían leer frases como esta: «Cristo se acerca». Obviamente era un truco, pero los idiotas le pagaron un montón de dinero.

Otro truco era curar a una tal señora Perigo con un pudín mágico. Estaba lleno de veneno, y la señora Perigo murió. Mary Bateman murió en la horca.

Incluso en la cárcel timó a una prisionera. El 20 de marzo de 1809, Mary Bateman, la bruja de Yorkshire, fue ejecutada frente a una gran multitud. Algunas personas en Yorkshire todavía creían que tenía poderes mágicos y que conseguiría escapar de algún modo. Pero no fue así.

7 Elfame: otro nombre para el país de las hadas.

3a) Marie pidió que la hundieran. Dijo…

QUIERO QUE ME HUNDAN COMO LO HICIERON EL MES PASADO EN GELDROP. ESTOY SEGURA DE QUE ME HUNDIRÉ. ¡SÓLO UNA BRUJA FLOTARÍA!

¿Qué sucedió? Hundieron a Marie.

¿Y después? Marie flotó.

¿Y qué pasó con Marie? La quemaron en la hoguera.

Así que a la pobre mujer casi la ahogaron en agua congelada y luego la quemaron.

4b) Michael Cleary estaba mentalmente enfermo y creía que a su esposa Bridget la habían secuestrado. Creía que la mujer que vivía en su casa era una hada que se hacía pasar por Bridget. A las hadas se las consideraba como un tipo de bruja.

Michael torturó a Bridget con la ayuda de su familia y de sus amigos. La pusieron sobre el fuego de la cocina. Ella gritó…

¡SOY BRIDGET, TU ESPOSA, NO UN HADA!
CREO QUE DICE LA VERDAD, MICHAEL
PUES YO NO

Finalmente, el loco de Michael roció a Bridget con queroseno y le prendió fuego. Una muerte terrible.

Michael Cleary pasó veinte años en la cárcel, pero siempre creyó que había quemado a un hada en lugar de a su esposa.

5a) Agnes era una viuda de sesenta y tres años. La arrestaron por el asesinato de William Fyne utilizando brujería. En el juicio, la gente comenzó a inventar un montón de historias sobre los «crímenes» de Agnes. Decían que había convertido a su gato Satán en un sapo para poder usar su piel calentita como guantes.

Una niña contó una historia todavía más tonta. La pequeña Aggie Brown (de doce años) dijo…

EN LA CASA DE LA VIUDA HABÍA UN PERRO NEGRO CON CARA DE BRUTO. INTENTÓ MATARME. CORRIÓ HACIA MÍ CON UN PUÑAL ENTRE LOS DIENTES Y ME DIJO QUE ME LO CLAVARÍA EN EL CORAZÓN

Aggie nunca contó cómo era posible que el perro hablara con un cuchillo en la boca ni cómo consiguió escapar.

La sensata Agnes dijo…

NI SIQUIERA TENGO UN PUÑAL, NIÑA TONTA...

Entonces, por alguna razón, la inconsciente Agnes añadió…

SIN EMBARGO, SÍ QUE DEJÓ QUE MI GATO LAMIERA MI SANGRE Y LUEGO LO ENVIÉ A QUE MATARA A MI VECINO, WILLIAM FYNE. BUENO, ES QUE LE ODIABA Y UTILICÉ A SATÁN PARA QUE LO MATARA

La viuda Agnes fue directa a la horca, la primera mujer en recibir este castigo bajo las nuevas leyes contra la brujería del reinado de Isabel I.

6c) Brian asesinó al hijo de su vecino durante un partido de fútbol. Intentaba evitar una pelea y clavó al pobre chico un cuchillo en la cabeza. (Como bien sabes, apuñalar a un jugador hoy en día se penaliza con tarjeta roja.)

Brian enseñó a su hija, Anne, a estornudar agujas mientras fingía tener un ataque. El hombre le dio drogas para que enfermara.

Cuando el rey Jaime fue a Oxfordshire de visita, Brian le presentó su caso. Brian fue rechazado y las tres mujeres, puestas en libertad. A Brian lo encarcelaron durante una temporadita.

7c) Giles Corey, uno de los brujos de Salem, se negó a declarar si era o no era culpable cuando lo acusaron de brujería. (Seguramente pensó que así no podría terminarse el juicio. Estaba muy equivocado.)

A Corey lo «presionaron». Lo obligaron a estirarse en el suelo con un tablón de madera encima. Y colocaron rocas pesadas sobre el tablón. Cuanto más tiempo permanecía callado, más rocas colocaban sobre el tablón.

Sufrió durante dos días y luego murió.

¿HIZO ALGÚN RUIDO ANTES DE MORIR?
SÍ, ¡PAF!

¿SABÍAS QUE...?

A Corey lo forzaron a sacar la lengua mientras un peso le presionaba el pecho. Cuando llegó el juez, le obligó a meterla otra vez hacia dentro. ¡Qué crueldad!

Los malvados cazadores de brujas

Algunas personas decían que podían reconocer quién era y quién no era bruja. Decían que, con sólo mirar a un grupo de gente, podían distinguirlas. Pero tenían motivos personales para convertirse en cazadores de brujas. Normalmente, con muy mala intención.

Tranquille el Terrible y las monjas de Loudun

En 1630, el padre Urbain Grandier, un cura de Loudun, en Francia, escribió cosas muy malas sobre el cardenal Richelieu… el hombre más poderoso de ese país.

Gran error.

Richelieu oyó la historia de unas monjas embrujadas que acusaban a Grandier. Richelieu supo que había llegado el momento…

... ¡EL MOMENTO DE LA VENGANZA!

Envió al cazador de brujas, el capuchino Tranquille, a expulsar a los demonios (a «exorcizarlos»). De hecho, Tranquille estaba ENSEÑANDO a las monjas a actuar delante de las multitudes que venían a ver el espectáculo. Y consiguieron un espectáculo extraordinario. Un informe de la época dice…

> Las monjas se golpeaban el pecho y la espalda con la cabeza, como si tuvieran el cuello roto. Se retorcían los brazos por las articulaciones de los hombros, de los codos y de las muñecas.

Estiradas boca abajo juntaban las palmas de las manos con las plantas de los pies; su aspecto era tan aterrador que resultaba imposible mirarlas a la cara.

Sus ojos se mantenían abiertos, sin pestañear. Las lenguas se les salían de la boca, terriblemente hinchadas, negras, duras y cubiertas de granos. Se echaban hacia atrás, hasta tocarse la cabeza con los pies, y caminaban en tal postura a gran velocidad.

Y soltaban a grito pelado las palabrotas más horribles que nunca antes se habían oído.

Trescientas personas se congregaron para ver a las brujas enloquecidas.

PARECEN PINGÜINOS BAILANDO BREAK-DANCE
PINGÜINOS MUY MAL HABLADOS

Llamaron a otro de los enemigos de Grandier, el doctor Mannouri, para buscarle la marca del Diablo[8].

LA MARCA DEL DIABLO ES UNA PARTE DEL CUERPO QUE HA SIDO TOCADA POR EL DIABLO Y EN LA QUE NO SE SIENTE DOLOR
¿PERDÓN?

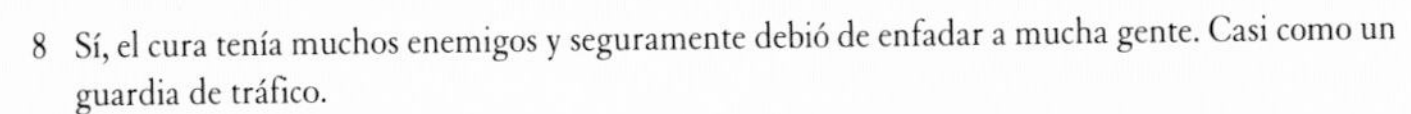

8 Sí, el cura tenía muchos enemigos y seguramente debió de enfadar a mucha gente. Casi como un guardia de tráfico.

Mannouri clavó una sonda en el cuerpo de Grandier, pero el cura no mostró sentir dolor. ¿Cómo pudo ser?

Mannouri hizo trampa.

COLOCÓ LA SONDA CONTRA LA PIEL DE LA VÍCTIMA.

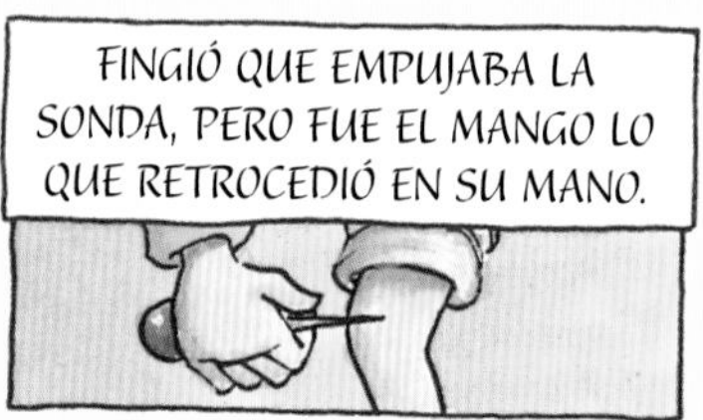

FINGIÓ QUE EMPUJABA LA SONDA, PERO FUE EL MANGO LO QUE RETROCEDIÓ EN SU MANO.

A Grandier lo encontraron culpable y lo torturaron antes de su ejecución. Le ataron tablones a las piernas. Clavaron cuñas de hierro entre los tablones y las piernas hasta que le quedaron aplastadas y le salió sangre y el tuétano de los huesos.

A pesar del dolor, Grandier nunca dio los nombres de ninguna bruja. Así que lo sacaron fuera y lo quemaron.

Algunas de las monjas dijeron…

LO SENTIMOS, FUE TRANQUILLE QUIÉN NOS INCITÓ A HACERLO
¡MENUDA SORPRESA! DE TODAS FORMAS... LLEGA UN POCO TARDE...

El general de los cazadores de brujas

Matthew Hopkins (muerto en 1647) fue el cazador de brujas más famoso de Inglaterra: el gran general. ¿Quién le otorgó ese título?

¡LA VERDAD ES QUE FUI YO MISMO!

En el siglo XV, se convirtió en el terror de Suffolk, Essex y el este de Anglía, donde mandó ahorcar a unas 230 personas por brujería.

Aquí presentamos seis de los actos más terribles de Hopkins que no se cuentan nunca…

1. Las cárceles se abarrotaron de víctimas de Hopkins. En el verano, el aire era tan asqueroso que los presos morían al respirarlo. De hecho, en un informe de Colchester de 1645, se puede leer…

El aire estaba tan viciado que morían perros, gatos, ratas y ratones; hasta los pájaros caían del cielo.

¡Tan asqueroso como el lavabo de niños del colegio!

2. Hopkins creía que había un par de maneras de frenar el poder maligno de una bruja. Eran bastante desagradables, así que si lo prefieres, puedes saltarte esta parte.

HAY QUE HERVIR EL PELO DE LA BRUJA EN SU PROPIA ORINA... O CLAVAR UN ATIZADOR AL ROJO VIVO EN SUS DEFECACIONES... ASÍ SE ACABA CON SU MAGIA

Nota de Esa Horrible historia:
No intentes hacer esto en casa...
el olor puede tardar días enteros en desaparecer.

3. Elizabeth Clarke de Chelmsford fue condenada después de que Hopkins la acusara. La llevaron hasta la horca y le pidieron que subiera las escaleras.

Pero la pobre Elizabeth sólo tenía una pierna. Tuvieron que ayudarla a subir para poder colocarle la soga.

Sólo después le retiraron la escalera.

4. El gentío se abalanzaba hacia delante para obtener un jirón de ropa o la soga de la horca de una bruja. Querían quedarse con un poco de su magia. Así que los verdugos bajaban los cuerpos tan pronto como podían.

Pero a veces lo hacían DEMASIADO rápidamente, pues la víctima todavía estaba viva.

Tenían que ahorcarla por segunda vez.

¡EH, TÚ!
¿ADÓNDE CREES QUE VAS?

5. A las brujas se las enterraba en una fosa que había detrás de la cárcel. Se colocaba una roca pesada sobre el cadáver y a veces lo atravesaban con una estaca.
Esto se hacía para que la bruja no se levantara y se fuera al cielo.

6. Hopkins se aseguró de que decenas de hombres y mujeres murieran ahorcados por brujería. Esa era la ley en Inglaterra. Pero una POBRE mujer, Mary Lakeland, fue condenada a morir quemada.

Hopkins la acusó de utilizar magia para asesinar a su marido. Y el castigo por asesinar a un marido era el fuego. Seguramente, Mary Lakeland fue la única bruja que murió quemada en Inglaterra.

En 1645, en Ipswich, a Mary la…

- … metieron en un barril de alquitrán.

- … la encadenaron a un poste para que no pudiera moverse.
- … la quemaron en el barril de alquitrán, rodeado por una hoguera.

El final de los cazadores de brujas

Existe la leyenda de que, más tarde, Matthew Hopkins fue acusado de brujería y murió en la horca. Le habrá servido de lección.

Pero probablemente esa historia no sea verdad. Parece ser que lo más probable es que muriera de una enfermedad pulmonar en 1647.

No hubo otras cazas de brujas de esa magnitud en Inglaterra. La gente se dio cuenta de que pagar a los cazadores de brujas, mantener a las víctimas en la cárcel y ahorcarlas les salía muy caro. El ahorcamiento de una bruja costaba una libra en los años sesenta del sigo XV… un dineral… mientras que la muerte de Mary Lakeland costó más de tres libras.

Cazadores de brujas arrasados

Ser cazador de brujas tenía su riesgo.

El jefe de los zulúes africanos, Shaka (1787-1828), tenía cazadores de brujas que se dedicaban a «olfatearlas». Como no se fiaba de ellos los puso a prueba. Dijo que una bruja había embadurnado su casa con sangre y los mandó a buscarla.

Aunque había sido el mismo Shaka quién había embadurnado su casa con sangre, los cazadores de brujas encontraron a trescientos culpables.

Shaka, escandalizado, mandó que los apalearan hasta la muerte… tuvieron su merecido.

La hora de los hechizos

Aquí tienes unos cuantos hechizos mágicos. No te preocupes, porque no funcionan.

1. Liebre sí, liebre no

Isobel Gowdie era una joven ama de casa que fue juzgada por brujería en Escocia en 1662. Isobel lo contó todo sobre sus brujerías, sin ningún problema. No hizo falta que la torturaran; ella misma se metió en el lío contando todos los detalles.

Compartió el secreto de varios de sus encantamientos mágicos con el tribunal. Estas son las palabras mágicas que pronunciaba cuando quería convertirse en una liebre…

Quiero convertirme en liebre
para correr y saltar siempre,
y en nombre del Diablo actuar,
hasta volver a mi estado normal.

Para dejar de ser una liebre pronunciaba estas otras:

Liebre he sido
y ya me he aburrido.
Quiero volver a ser
una mujer otra vez.

Algunos historiadores dicen que no se sabe qué fue de ella, pero otras fuentes apuntan a que fue ahorcada y quemada.

ASÍ ES LA VIDA... HOY UNA LIEBRE, MAÑANA QUIÉN SABE QUÉ

2. Sapo mojado
Si vives en India y necesitas que llueva para que crezcan tus cultivos, aquí tienes un hechizo especial…

Hechizo para la lluvia

Ingredientes:

Una rana viva, un cuenco de madera y una piedra de las que se usan para moler el grano.

Preparación:

1. Recoger agua de cinco casas distintas del pueblo y verterla en el cuenco.
2. Colocar la rana en el agua.
3. Las mujeres deberán cantar canciones sobre la sequía. Por si no se os ocurre ninguna:

   «Esta canción canto
   para que llueva en el campo.
   Agua quiero mañana
   para bañar a mi rana».
4. Mientras se canta la canción correspondiente, utilizar la piedra para aplastar a la rana hasta conseguir una pasta homogénea[9].
5. Esperar a que empiece a llover.

9 Es ilegal hacer daño a las ranas si el nombre de ese día lleva una «s»… así que sólo podrás intentarlo en domingo.

3. Me quiere, no me quiere…

¿Te gustaría saber con quién te vas a casar? Puedes averiguarlo del modo siguiente:

1. ENCIENDE UNA VELA Y PONTE FRENTE A UN ESPEJO
2. PELA UNA MANZANA DELANTE DEL ESPEJO
3. APARECERÁ EL ROSTRO DE TU FUTURO ESPOSO O FUTURA ESPOSA

¡CREO QUE PREFIERO QUEDARME SOLTERO!

¿Sabías que...?

Si la noche de Halloween ves una araña, puede que se trate del espíritu de un amigo que ha venido a velar por ti. ¡Socorro!

4. Divisar un espíritu

Algunas personas creen que estamos rodeados de fantasmas y que, sencillamente, no podemos verlos. Si realmente quieres verlos sólo tienes que preparar este ungüento…

Para poder ver espíritus mezcla las grasas de una avefría, un murciélago y una cabra. Úntate la mezcla resultante sobre los párpados.

5. ¡A volar!

¿Llegas tarde al colegio? No te preocupes. Utiliza este hechizo medieval para volar hacia allí y nunca llegarás tarde.

Saca una escoba del armario, móntate en ella y recita este hechizo…

CABALLITO MÍO, CABALLITO LINDO, SÉ BUENITO Y VUELA RAPIDITO

No sé si había aclarado que este hechizo tampoco funciona…

6. Y «ran qui ran»

Si te ha mordido un perro rabioso y no quieres que te contagie, no tienes por qué preocuparte. Aquí tienes una cura milagrosa que puedes llevar contigo por si te encuentras con uno de esos perros locos.

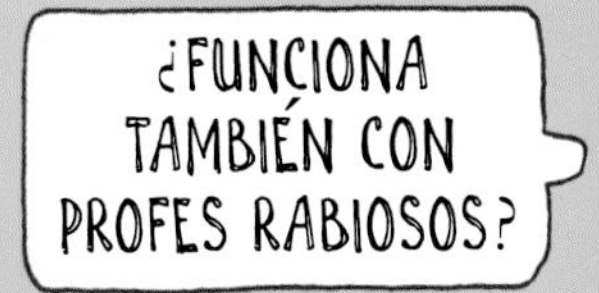

¿FUNCIONA TAMBIÉN CON PROFES RABIOSOS?

¡DÉJAME EN PAZ!

Inténtalo… sólo tienes que escribir estas palabras en un papel…

Y ran qui ran, casram casratem casratosque

Coloca el papel en una cáscara de huevo y haz que se la trague la víctima rabiosa.

¿SABÍAS QUE...?

Durante la Edad Media, en África se creía ciegamente en la magia. Cuando, mucho después, los africanos fueron llevados como esclavos a América, muchos se llevaron sus creencias con ellos. En Haití, la brujería recibió el nombre de «Vodum» (o vudú). Escritores y realizadores de cine inventaron un montón de tonterías acerca de las personas que creían en el vudú.

La verdad es que lo único que mataban eran gallinas, cabras, ovejas y perros. Creían que esto les daba buena salud, buena cosecha y buena suerte.

Las brujas de William

Cuando Jaime I se convirtió en rey de Inglaterra y Escocia se interesó mucho en las brujas. El gran escritor William Shakespeare escribió una obra de teatro sobre brujas para Jaime.

Tres extrañas hermanas

Shakespeare escribió una obra llamada Macbeth, en la que el héroe, Lord Macbeth, se encuentra con tres extrañas hermanas que adivinan el futuro.

Le dicen a Lord Macbeth que se convertirá en rey. Y así es... después de asesinar a unos cuantos para llegar a la cima.

DOBLA, DOBLA, TRABAJO Y AFÁN. AVÍVATE, FUEGO, Y TÚ, CALDERO, HIERVE

Sus palabras mágicas no fueron «Hirviente alboroto, trabajo y afán», como muchos creen, sino... Pero eso tú ya lo sabías porque eres inteligente y prestaste atención en tus clases de literatura en el colegio.

Después tiraron cosas asquerosas en el caldero.

Así que, tú, estudiante aplicado, di… ¿qué dos cosas de este dibujo NO metieron las brujas en el caldero?
A
LOS INTESTINOS DE UN TIGRE
J
LA LENGUA DE UNA VÍBORA
I
EL OJO DE UN TRITÓN
D
LA LANA DE UN MURCIÉLAGO
F
EL ALA DE UN MOCHUELO
G
LA NARIZ DE UN BEBÉ MUERTO
E
LA SANGRE DE UN BABUINO

B
EL DEDO DE UN TURCO MUERTO
C
LA PATA DE UNA LAGARTIJA
H
LA ESCAMA DE UN DRAGÓN
Respuesta: B y G. No era el dedo de un turco muerto ni la nariz de un bebé muerto, era la nariz del turco y el dedo del bebé.

Magos salvajes

¿Te gustaría hacerte rico? No juegues a la lotería. Ve a ver a un mago... quizás pueda conseguirte algo de oro. Evidentemente, se trataría de un truco y vosotros, los historiadores, NO seríais tan tontos como para creerlo...

El sueño dorado

El gran sueño de los magos de la Edad Media era poder convertir un metal normal y corriente en oro.

Alrededor de 1450, Bernard de Treviso intentó mezclar dos mil huevos con aceite de oliva y ácido sulfúrico. Cocinó la mezcla durante toda la noche, añadió un poco de metal y consiguió… ¡la tortilla más grande del mundo!

Todo un fracaso. Se la dio a sus cerdos y seguramente fue la mejor comida que jamás habían probado.

¡QUÉ HISTORIA MÁS TRISTE!

Qué más da, porque también fue la última. Murieron envenenados.

El oro del bobo

El mago alemán David Beuther conocía el secreto de cómo fabricar oro (eso decía él). Fue torturado con el fin de que lo revelara. Pero, ¿cómo consiguió mantener el secreto?

a) Lo guardó en una botella y la lanzó al mar.
c) Los escribió en un papel y se lo tragó.
d) Nunca lo escribió y se envenenó.

Respuesta: c) David Beuther fue encarcelado pero se negó a hablar. Cuando lo liberaron se envenenó.

Puede que su habilidad para hacer oro fuera un mero truco.

Así es cómo puedes conseguir que la gente piense que sabes fabricar oro...

Cómo hacer oro fácilmente

1. Toma un trocito pequeño de oro.
2. Calienta sobre una llama un poco de plomo en un plato de metal, hasta que se derrita.
3. Pon el trocito de oro en el plomo derretido y déjalo enfriar.
4. Convoca a un grupo de ricos (cuanto más ricos sean, mejor).
5. Coloca la mezcla de oro y plomo sobre una llama. Toma un poco de tierra caliza, harina y pimienta y dile a la audiencia: «Estos son los polvos del elixir», mientras los espolvoreas sobre el plomo caliente.
6. Mantén el fuego alto hasta que el plomo se derrita.
7. En el fondo del plato sólo quedará el oro.
8. Muestra el oro a la audiencia y di: «¿Lo veis? ¡Mis polvos del elixir han convertido el plomo en oro!».
9. Véndeles los polvos mágicos.
10. Llévate tu trocito de oro y sus monedas de oro.

Vete lo más lejos que puedas antes de que descubran que les has tomado el pelo. Y el experimento ha funcionado. Tú sí que te has llevado un montón de oro.

El espejo mágico

El mago de la reina Isabel I, John Dee (1527-1608), decía que podía adivinar el futuro reflejado en un espéculo (un espejo mágico). Puedes intentarlo tú mismo. ¿Cómo?

a) En las bolsas de canicas siempre hay una que es realmente un pequeño espéculo.

b) Cómprate tu propio espéculo en www.soy-bruja-dejenme-salir.com por el módico precio de quince mil euros.

c) Ve a ver el espéculo del doctor Dee al British Museum, en Londres.

Respuesta: c) El doctor Dee se hizo tan famoso como mago en los años cincuenta del siglo XIV que hasta la reina Isabel I fue a visitarlo para que le leyera su destino… a pesar de que sus propias leyes prohibieran este tipo de magia. También le pidió al doctor Dee que estudiara los astros para saber cuál era el mejor día para su coronación[10].

Isabel le ofreció un trabajo en una universidad de Manchester (los estudiantes lo odiaban). Tras la muerte de Isabel, derribaron su casa y destruyeron sus libros. Murió en la pobreza… que es mejor que morir en la horca.

La actuación del ratón

En 1650, en Inglaterra, un mago fingió su magia con la ayuda de un ratón. ¿Cómo consiguió que el ratón colaborase?

a) Era un ratón de cuerda.

b) Era un ratón disecado y con un resorte en el interior.

c) Era un ratón al que entrenó con un poco de queso.

10 No hacen falta los astros para saberlo. El mejor día es el lunes. A nadie le gusta ir a trabajar los lunes. Si le das a la gente un lunes libre para asistir a tu coronación, te adorarán de por vida.

Respuesta: b) El hombre era un malabarista que pensó que su audiencia lo ayudaría. Rellenó la piel de un ratón y pegó un resorte al final. Con mucha práctica, consiguió lanzarlo sobre la mesa, dejar que botara dos veces y volver a pillarlo.

Se lo metía en el bolsillo y le decía que no se volviera escapar porque necesitaba su ayuda para seguir con sus trucos de magia. A veces pegaba grititos y hacía ver que era el ratón el que lo hacía.

¡GLUPS!

La última bruja

En los años cuarenta del siglo XVIII, Gran Bretaña estaba en guerra contra Alemania. Los británicos tenían miedo de que el enemigo descubriera sus planes secretos. Se colgaron carteles por todo el país...

Hablar sin
CUIDADO
CUESTA LA VIDA

Entonces, en la ciudad de Portsmouth, Helen Duncan era una «médium»... y afirmaba que podía hablar con el espíritu de los muertos.

En 1944, Duncan dijo que había hablado con el espíritu de un marinero que había muerto en el navío de Su Majestad, *Barham*, en 1943.

Se trataba de un navío secreto. Nadie debería haber sabido nada sobre su existencia. Nadie sabía que el barco había naufragado, así que ¿cómo podía saberlo Helen Duncan?

ARRÉSTELA PARA MANTENERLA CALLADA ANTES DE QUE LLEGUE A OIDOS DEL ENEMIGO
¿CON QUÉ CARGOS?

La arrestaron por vagabunda.

Pero no pudieron encerrarla por eso, sólo pudieron ponerle una pequeña multa.

No era una espía, así que no podían encerrarla por eso. Fue un problema para las autoridades.

¿CÓMO PODEMOS MANTENER A LA BRUJA CALLADA?
¡ESO ES! ACUSÉMOSLA DE SER UNA BRUJA

Utilizaron las antiguas leyes de 1735:

USTED NO HABLÓ CON UN MARINERO MUERTO... PERO LA LEY DICE QUE NO SE PUEDE FINGIR HABLAR CON LOS ESPÍRITUS DE LOS MUERTOS. ¡LA DECLARO CULPABLE! TENDRÁ QUE PASAR NUEVE MESES EN LA CÁRCEL

Helen, indignada, dijo…

Nunca en toda mi vida había oído tantas mentiras.

Se decía que el héroe de guerra Winston Churchill creía que Helen podía hablar con los muertos. Churchill acabó por eliminar la ley contra la brujería en 1951.

Helen Duncan, la última bruja, murió cinco años más tarde.

Durante miles de años se ha perseguido y aniquilado a las personas relacionadas con el mundo de la magia.

Algunas brujas creían realmente que poseían poderes mágicos. Estaban locas de atar.

Pero las personas que se ponían a perseguir a las brujas todavía lo estaban más. Si no, mirad a los locos de Pittenweem, en Fife (Escocia). ¿Estaban fuera de sus cabales? Esto es lo que hicieron, decide tú mismo.

En 1704, Janet Cornfoot fue a juicio por bruja. La torturaron así:

- La encerraron en el campanario de una iglesia, pero logró escapar.
- Una multitud de Pittenween la atrapó y la golpeó.
- La colgaron para lanzarle piedras.
- La tumbaron en el suelo y la cubrieron con una puerta.
- Colocaron piedras sobre la puerta para aplastarla.
- Retiraron el cuerpo y lo atropellaron con una carreta arrastrada por un caballo.

La gente de Pittenweem nunca recibió ningún castigo.

Es una horrible historia.

¿Todavía crees que las brujas son simples viejecitas un poco estrafalarias con sombreros de pico y escobas?

Todavía hay hoy en día quién se hace pasar por brujo y seguramente no les hará mucha gracia leer que la brujería no existe.

Podrían incluso intentar echarme una maldición.

¿Si me importa?

No, sólo es cuestión de decirles….

NOTA DEL EDITOR:

Sentimos mucho que este libro no esté terminado. El señor Deary desapareció cuando estaba terminando la última página. La policía dice que la única prueba es la rana que encontraron sentada en su silla.

Índice interesante

¡Espera un momento! Este índice no es como los que tú conoces, tan terriblemente aburridos. Éste es un índice horrible, el único en el mundo en el que encontrarás «hurgarse la nariz», «piojos devoradores de carne», «babas de caracol» y todas esas cosas que DEBES saber si deseas convertirte en un pésimo historiador. Léelo, se te pondrán los pelos de punta.

¡No te pierdas un sólo título!

Caballeros